Het geheim van de verliefdheid

PSSST! Ken jij deze GEHEIM-boeken al?

Tamara Bos	*Het geheim van Anna's dagboek*
Chris Bos	*Het geheim van de struikrovers*
Marjet van Cleeff	*Het geheim onder het bed*
Haye van der Heyden	*Het geheim van de maffiamoeder*
	Het geheim van de ontvoering
Rindert Kromhout	*Het geheim van Zwartoog*
	Het geheim van de verdwenen muntjes
& Pleun Nijhof *	*Het geheim van de raadselbriefjes*
Yvonne Kroonenberg	*Het geheim van de boomhut*
Hans Kuyper	*Het geheim van het Kruitpaleis*
& Isa de Graaf *	*Het geheim van kamer 13*
Martine Letterie	*Het geheim van de roofridder*
	Het geheim van de riddertweeling
Selma Noort	*Het geheim van de snoepfabriek*
	Het geheim van het gat in de dijk
& Rosa Bosma*	*Het geheim van het spookhuis*
Mirjam Oldenhave	
& Justin Wink*	*Het geheim van de maffiabaas*
Wieke van Oordt	*Het geheim van de ruilkinderen*
Helen Powel	*Het geheim van het boze oog*
Ruben Prins	*Het geheim van de dieventekens*
Els Ruiters	*Het geheim van de vleermuisjager*
Erna Sassen	*Het geheim van het zeehondenjong*
Anneke Scholtens	*Het geheim van de goochelaar*
& Marie-Line	
Grauwels*	*Het geheim van de circusdief*
Harmen van Straaten	*Het geheim van de smokkelbende*
Anna Woltz	*Het geheim van ons vuur*
& Roos van den Berg*	*Het geheim van de stoere prinses*

* Pleun, Isa, Rosa, Marie-Line, Roos en Justin wonnen de GEHEIM-schrijfwedstrijd.
Heb jij een spannend idee voor een boek? Doe mee op
www.geheimvan.nl of **www.leesleeuw.nl**

Haye van der Heyden

Het geheim van de verliefdheid

LEOPOLD / AMSTERDAM

AVI 8

Eerste druk 2008

© 2008 tekst: Haye van der Heyden

Omslagontwerp: Rob Galema

Omslag en illustraties: Saskia Halfmouw

Uitgeverij Leopold, Amsterdam / www.leopold.nl

ISBN 978 90 258 5206 1 / NUR 282

Inhoud

Laus en zijn geheim 7
Kitty en haar zus 12
Kitty gaat overhoren 15
Laus en Tijmen 17
Kitty kan het niet geloven 20
Is Laus gevoelig? 22
Laus schrijft een gedicht 25
Kitty is verliefd 27
Laus mist Fleur 31
Laus wil dichter worden 35
Laus kan niet acteren 38
Laus zegt het toch maar 41
Kitty krijgt bezoek 44
Kitty ziet een prachtig lijk 48
Wat voelt Laus? 52
Kitty krijgt een kaartje 54
Kitty wil wegzweven 57
De 'vriendin' van Laus 61
Kitty smeekt Fleur 63
Laus snapt er niks van 67
Laus voelt rare dingen 71
Laus en Kitty dicht bij de sterren 76
Kitty loopt op de maan 80
Laus voelt wat hij voelt 83
Ze is hartstikke verliefd 84

Haye van der Heyden over verliefdheid 89

Laus en zijn geheim

'Ik heb een groot geheim.' Laus keek Tijmen niet aan terwijl hij dat zei.

Dat ging ook niet, want Tijmen probeerde een halflekke voetbal met z'n knie hoog te houden. Even was hij daar druk mee. Toen vroeg hij: 'Heb je iemand vermoord of zo?'

Laus wist even niet wat hij moest zeggen. Hij, iemand vermoorden? Had Tijmen weleens goed naar hem gekeken? Laus was zo tenger en bleek dat mensen soms vroegen of hij ziek was. Of net ziek geweest.

Nooit kwam iemand op het idee te vragen of hij iemand vermoord had. Behalve Tijmen. Zijn rossige buurjongen was een kop groter, stevig gebouwd en loeisterk.

'Niet zo'n megagroot geheim,' zei hij serieus. 'Maar wel groot.'

'Mag ik weten wat het is?' Nu keek Tijmen hem nieuwsgierig aan.

'Ik beloof het aan niemand door te vertellen,' zei hij gauw.

'Ja ja, dat zeggen ze allemaal.'

De bal viel steeds op het gras. Het was ook veel te warm voor voetballen, vond Laus. Snikheet was het. Een snikhete vrijdagmiddag, en het zou het hele weekend warm blijven. Pfff.

'Kom op nou,' zei Tijmen, terwijl hij een nieuwe poging

deed. 'Ik ben toch je vriend? Vrienden moeten elkaar hun geheimen vertellen. Wat heb je er anders aan?'

Laus knikte. Daar had Tijmen gelijk in. En hij wou zijn geheim ook graag vertellen. Ontzettend graag. Daarom was hij er ook over begonnen. Maar ja.

'Dan vertel ik jou ook mijn geheim.'

'Heb jij er dan ook één?'

'Tuurlijk. Wat denk je nou?'

'Oké dan.' Laus schraapte zijn keel en ging rechtop staan. 'Oké. Ik zal het je vertellen. Maar je mag niet lachen.'

'Dat beloof ik.'

'Het is heel erg belangrijk voor me, want het is de eerste keer in mijn leven.'

'Wat dan! Wat is de eerste keer in je leven?' Tijmen hield het bijna niet meer, zag Laus.

'En misschien wel de laatste. Ik denk dat het mij maar één keer gebeurt. Dat denk ik echt!'

'Wat daaaaaaan? Je moet het nu zeggen! Anders ga ik gillen!'

'Niet lachen hè?'

'Neehee!'

'Ik ben verliefd.'

'Verliefd?' Tijmen schoot in de lach.

'Je lacht!'

'Nee nee. Dat was geen lachen. Dat was van de zenuwen. Dat doet mijn mond vanzelf. Daar kan ik niks aan doen.'

Laus keek zijn vriend in de ogen. Kon hij hem vertrouwen? Hij wist het niet.

'Op wie?'

'Als ik het zeg en je lacht weer, dan...' Laus dacht even na. 'Dan hak ik je kop d'r af.'

'Met wat?'

'Met een bijl.'

'Je hebt helemaal geen bijl.'

'Op wie ben je verliefd?' vroeg Tijmen even later.

'Op Fleur.'

'Fleur? Die is veel te oud voor jou!'

'Helemaal niet. Mijn vader is ook ouder dan mijn moeder.'

'Dat is een man. Een vader. Vaders zijn ouder dan moeders, moeders zijn niet ouder dan vaders.'

'Zij is toch geen moeder? Ze is gewoon een meisje.' Laus haalde zijn schouders op. 'En mijn tante is ook ouder dan mijn oom. Daar zie je niks van.'

Tijmen keek Laus aan. 'Is dat alles? Is dat het hele geheim? Dat je verliefd bent op Fleur? Tsss.'

'Ik vind het stom,' zei hij. 'En ze wil toch niet met je.'

Laus keek naar zijn vriend. Nu hij zijn geheim verteld had, en Tijmen het niks vond, was alles ineens anders. Tijmen had eigenlijk wel gelijk. Meisjes willen nooit met jongens die jonger zijn.

Maar kon hij het helpen? Verliefd is verliefd. Daar kon hij niks aan doen. Hij droomde 's nachts van Fleur. Hij droomde dat ze hem kuste. En dat ze zei: *Ik vind je de allerleukste jongen van de straat, nee, van de hele wereld.* Dat ging vanzelf. In je dromen kon je niet naar een ander net zappen of zo.

Hij keek de straat door. Verderop waren ze verstoppertje aan het spelen. En de tweeling Harold en Steven van nummer acht stonden te badmintonnen. Wat sloegen die toch ongelofelijk hard. Logisch, als je al veertien was.

'Dan kan je beter verliefd zijn op Kitty. Die is tenminste net zo oud als wij.'

'Jij bent nog niet eens tien,' zei Laus. 'Ik wel.'

'Wat heeft dat er nou mee te maken?' Tijmen kreeg het lekke ding een stukje de lucht in, liet 't stuiteren op een

knie en probeerde 't dan ook nog met zijn voet te raken.
Mis.

'Heb jij geen bal?' vroeg hij. 'Hiermee lukt het nooit.'

'Ik heb geen zin om 'm te halen,' bromde Laus. Hij had spijt dat hij zijn geheim verteld had. Het interesseerde Tijmen helemaal niet.

Op dat moment ging verderop, op nummer 10, de voordeur open.

'Daar zal je d'r hebben,' siste Tijmen.

Laus keek. Fleur kwam naar buiten lopen. Fleur was ontzettend knap. Ze had altijd te gekke kleren aan en liep prachtig. Als een fotomodel. Alle jongens werden verliefd op haar. Of ze waren het geweest. Of ze kenden iemand die verliefd op haar was.

Achter Fleur hobbelde Kitty, haar twee jaar jongere zusje. Zo opvallend als Fleur was, zo onopvallend was zij. Kitty was aardig, vond Laus, maar ze zag er saai uit. Ze droeg haar haar altijd hetzelfde. En ze keek naar de grond.

Steven en Harold stopten even met badmintonnen om te kijken. Fleur maakte een koprol op het grasveldje en bleef languit op haar rug liggen. Haar ogen waren dicht.

'Wat is nou eigenlijk jouw geheim?' zei Laus na een tijdje. 'Nu moet je me jouw geheim ook vertellen.'

'Oké. Maar je mag het aan niemand doorvertellen. Aan niemand. Beloof je dat?' Tijmen keek heel ernstig.

Laus knikte. 'Ik beloof het.'

'Mijn geheim is dat ik niet verliefd ben op Fleur! Sssst.'

Kitty en haar zus

'Wat doe je?'

Kitty keek naar Fleur die met haar ogen dicht in het gras lag. Ze zouden toch gaan fietsen?

'Niks. Gewoon. In de zon liggen.'

'Alleen maar liggen en verder niks? Wat is daar nou aan? Gaan we niet meer naar het bos?'

'Geen zin. '

Fleur rolde op haar zij, opende heel even haar ogen en draaide weer op haar rug.

Waar keek ze naar? Kitty speurde om zich heen.

O, wacht. Dus dat was het. Steven en Harold waren buiten. Daarom wou Fleur hier blijven.

Kitty begreep daar niets van. Zij vond het rotjongens. Ze maakten vaak ruzie en soms vernielden ze dingen. Wat was daar leuk aan?

Ze keek naar haar grote zus. Fleur kon wel dood zijn, zoals ze daar in de zon lag. Stel je voor dat je zus in het gras ging liggen en dan opeens dood was. Zulke dingen gebeuren! Dat lees je wel eens in de krant.

'Dan ga ik alleen hoor,' dreigde ze.

'Ga maar alleen.'

Fleur was dus niet dood. Dan niet.

Steven en Harold gingen weer verder met badmintonnen. En verderop telde iemand af voor verstoppertje: 'Tien, negen, acht, zeven...'

Kitty keek om zich heen. Ze had geen zin om mee te doen met verstoppertje. Ze wilde iets nieuws. Ergens naartoe. Iets ontdekken. Een plek waar ze nog nooit geweest was. Iets spannends meemaken!

'Hebben wij geen rackets?' vroeg Fleur met haar ogen dicht. 'Ik heb ook zin in badminton. Daar is het echt weer voor.'

Kitty antwoordde niet. O ja, ze hadden rackets. En ze wist waar ze lagen. In de garage. Maar ze ging ze niet halen.

Ze wist precies hoe het zou gaan. Fleur en zij zouden vlak bij Steven en Harold gaan badmintonnen. Wel twee minuten. En dan zou Fleur opeens een shuttle verkeerd slaan. Toevallig de kant op van de jongens. En dan ging ze met hen praten en lachen. Kitty zou alleen achterblijven. Zo ging het altijd. Nou, mooi niet dus. Zij ging niet badmintonnen!

'Ik ga,' zei ze.

Dan maar alleen op pad. Ze draaide zich om, om haar fiets te gaan halen. Shit, daar had je 'm. Laus. Hij stond verderop in de straat bij Tijmen met een bal te spelen. Ze staarde er even naar.

'Wat is er? Waar kijk je naar?'

Fleur kwam overeind en keek haar nieuwsgierig aan.

'Sta je weer naar die jongens te kijken?'

Kitty keek snel een andere kant op. Die stomme trut had ook altijd alles door. Tenminste, als het over jongens ging.

'Je bent oversekst jij,' zei Kitty. 'Dat ben je.'

'Het is zo. Ik geef het toe.' Fleur rekte zich kreunend uit.

'Woehaa!'

Met een enorme brul smashte Steven de shuttle tot vlak bij het hek. Fleur sprong op en pakte 'm.

'Wil je je shuttle terug? Kom maar halen!' zong ze treiterig.

Kitty liep naar de zijkant van het huis. Daar stond haar fiets. Ze wilde alleen zijn. Ze wilde ergens heen fietsen waar alleen de bomen, de zon en de wind waren. Waar ze kon dromen. Van Laus.

Steeds weer moest ze aan Laus denken. 's Nachts droomde ze van hem. Maar dat kon ze nooit aan iemand vertellen. Nooit.

Kitty gaat overhoren

Toen Kitty de hoek om fietste, reed ze bijna tegen iemand op. Het was Janneke, het zusje van Laus. Ook toevallig.

'Hé, Kitty, sorry, ik keek niet uit.' Janneke sprong van haar fiets. Ze straalde. 'Ik ben ook zo blij.'

Kitty stopte met haar voeten op de stoep.

'Wat is er dan?'

'Ik mag auditie doen! Voor een televisieserie!'

'Wauw!' zei Kitty. Ze was niet echt verbaasd. Iedereen op de Lepelaarlaan wist dat Janneke actrice wou worden. Of musicalster, of danseres. Janneke zou later beroemd worden. Misschien binnenkort al.

'Het is een mooie rol, een meisje van een jaar of tien.'

'Maar jij bent twaalf.'

'Maakt toch niks uit? Ik speel gewoon dat ik tien ben.'

O ja. Tuurlijk.

'Koos heeft me geholpen. En hij gaat me ook helpen repeteren voor de auditie. We gaan vanmiddag of vanavond al beginnen. Ik moet een heleboel tekst uit mijn hoofd leren.'

Koos woonde op nummer vijf in de Lepelaarlaan. Hij was acteur.

'Het is een comedy, hè, je kent het toch wel? Ik moet een buurmeisje spelen. Ze is altijd alleen omdat haar ouders werken. En dan komt ze steeds langs bij die mensen. Waar de serie over gaat. De hoofdpersonen. Omdat ze zo eenzaam is. Snap je?'

'Dat is toch hartstikke zielig? Ik dacht dat comedy om te lachen was?'

'Klopt. Dat begreep ik eerst ook niet. Maar Koos zegt dat zielige dingen juist om te lachen zijn.'

Kitty haalde haar schouders op. Ze vond het gemeen om te lachen om iemand die zielig is. Fleur deed het vaak. Kitty haatte dat van haar zus.

'Waar ga jij naartoe?' vroeg Janneke.

'Naar een vriendin,' zei Kitty snel. 'Dus ik ga maar eens verder.'

Ze wou weer opstappen, maar bedacht opeens iets.

'Zal ik anders een keer bij je komen om die tekst te overhoren?'

'Wil je dat? Oké. Graag.'

'Tuurlijk. We moeten allemaal meehelpen zodat jij beroemd wordt. Wanneer zal ik komen?'

'Zo snel mogelijk. Ik wil eigenlijk alles al uit mijn hoofd kennen als ik met Koos ga werken.'

'Nu dan maar?'

Oeps. Meteen voelde Kitty dat ze bloosde.

'Je moest toch naar een vriendin?'

'Ze weet niet dat ik kom. Ik ging zomaar. Dus als ik niet ga, is het ook goed.'

'Oké dan. Kom maar mee. Ik wou net gaan leren.'

Kitty glimlachte. Dit was mooi. Als ze bij Janneke thuis was, was ze ook bij Laus.

Wat slim van mij, dacht ze.

Laus en Tijmen

'Wat is Janneke aan het doen?' vroeg Laus aan zijn vader. Hij was even met Tijmen naar binnen gegaan. Het was nog steeds snikheet buiten. Zijn vader schonk twee grote glazen cola in.

'Je zus is op haar kamer, tekst aan het leren. Ze mag auditie doen voor een serie op televisie.'

'Wauw.' Tijmens mond viel open. 'Te gek vet zeg.'

Op de trap naar boven vroeg hij: 'Wat is dat eigenlijk, een auditie?'

'Dan moet je het vóórspelen,' zei Laus. 'En als je dat goed doet, krijg je de rol en kom je op televisie.'

Hij wist het precies. Janneke had al vaker dit soort dingen gedaan. Soms lukte het. Hij liep zijn kamer in, maar Tijmen bleef op de overloop staan.

'Janneke krijgt de rol,' zei Tijmen. 'Dat weet ik zeker. Zij is de beste. Dat zie je gewoon.'

Laus keek zijn vriend even aan. Hoe kwam Tijmen daar eigenlijk bij?

Achter de kamerdeur klonken de stemmen van twee meisjes.

'Wie is er bij haar?' vroeg Tijmen.

'Weet ik veel,' zei Laus. 'Een vriendin of zo. Kom, we gaan weer.' Hij wilde naar buiten, waar Fleur was.

'Wacht nou. Ik wil het nog even horen.'

Tijmen liep naar de deur toe en legde zijn oor ertegen.

'Ssst!'

Waar is dat nou weer voor, vroeg Laus zich af. Hij wilde het niet meer over Janneke hebben. Altijd wilde iedereen met hem over haar praten. Omdat ze later beroemd ging worden. En daar moest hij dan steeds over vertellen. Maar wat? Ze werd beroemd en klaar. Meer was er niet over te zeggen.

'Kom nou.'

'Ssst!'

'*Mijn ouders moeten allebei werken.*' Steeds klonken die woorden. '*Mijn ouders moeten allebei werken.*'

'Ze zijn alleen maar die ene zin aan het oefenen,' zei Tijmen zacht.

'Nou en, laat ze lekker. Zullen we weer naar buiten gaan?'

'Oké.' Tijmen zuchtte.

Laus ging hem voor naar beneden. Nu stond zijn moeder in de keuken. Ze was bezig met eten klaarmaken.

'Wat gaan jullie doen?'

'Weten we nog niet.'

'Niet te lang wegblijven, we gaan vroeg eten. Janneke gaat na het eten naar Koos. Om te repeteren.'

'Met wie is ze dan nu op d'r kamer?' vroeg Tijmen.

'Met Kitty. Die overhoort haar. Aardig hè?'

Laus voelde dat zijn overbuurjongen van opzij naar hem keek. Hij keek niet terug en liep door naar buiten. Tijmen kwam achter hem aan.

Het was iets minder heet. Ze konden gaan voetballen. Of naar het meertje gaan. Of ergens heen fietsen.

'Wat zullen we gaan doen?'

'Wacht even,' zei Tijmen. 'Ik heb een idee. Luister. Ik heb iets heel slims voor je.'

'Wat nou weer?'

'Kom.' Hij liep even door, tot ze een stukje van het huis verwijderd waren.

Laus volgde hem.

'Luister. Als jij in de buurt van Fleur wil komen, dan moet je vrienden worden met haar zusje. Als je bij Kitty thuis komt, kom je ook bij Fleur. Snap je?' Tijmen kneep allebei zijn ogen dicht.

Laus staarde hem aan. Dat knipogen sloeg nergens op, maar verder had-ie wel gelijk. Eigenlijk best slim van Tijmen. Goh.

Kitty kan het niet geloven

'Ga je naar huis?'

Kitty knikte. 'We gaan zo eten.' Ze was een beetje zenuwachtig. Opeens stond Laus voor haar. Wat keek-ie leuk. En nog wel naar háár. Hij zag haar staan!

'Heb je mijn zusje overhoord?' vroeg Laus.

Ze lachte naar hem. 'Goed hè,' zei ze. 'Van die auditie. Janneke wordt beroemd. Ze is zó goed. Als zij iets zegt of speelt, dan gelóóf je het gewoon. Het is net echt.'

'Ja.'

Ze keek hem even aan, maar er kwam verder niks. Gauw keek ze weer langs hem heen. Ze praatte met hem! Al weken hoopte ze dat dat zou gebeuren.

'Zal ik eh...' begon Laus aarzelend. Maar verder kwam hij niet.

In gedachten probeerde Kitty zijn zin af te maken. *Zal ik... je helpen met je huiswerk? Zal ik... met je meegaan naar huis? Zal ik... mijn arm om je heen slaan?* Laus wou iets en hij durfde het haar niet te vragen. Daar leek het op. Wauw, dat was een heel goed teken. Toch?

Misschien was hij ook verliefd op haar. Ze durfde het bijna niet te denken. Stel je voor!

'Ik bedoel,' ging Laus verder, 'ik weet helemaal niet hoe jullie huis eruitziet. Ik ben nog nooit bij jullie binnen geweest.'

Nee! Ze kon het niet geloven. Maar hij vroeg het echt!

Nu wist ze het zeker. Het kon gewoon niet anders.

'Wil je een keertje bij me komen spelen of zo?' vroeg ze snel.

Laus knikte. 'Oké.'

'Wanneer dan? Morgenochtend?'

'Morgenochtend. Elf uur?'

'Goed.' Ze keek in zijn ogen en zag haar eigen brillenglazen weerspiegeld. Ook grappig. Een oog was net een spiegel.

'Zie je!' zei ze.

'Oké.' Laus draaide zich om en slenterde naar zijn huis.

Kitty keek hem na. Nu wist ze dat ze gelukkig zou worden. Voor altijd. Want zij was verliefd op Laus en hij op haar!

Is Laus gevoelig?

Laus zat nog even met zijn vader op de bank tv te kijken. Hij had al gedoucht en zijn tanden gepoetst. Ze keken voetbal. Laus hield eigenlijk niet van voetbal kijken, maar als hij deed alsof mocht hij langer opblijven.

'Wow, mooi schot, pap.'

Op dat moment kwam Janneke binnen. Ze had gerepeteerd voor de auditie.

'Hai,' zei ze. 'Daar ben ik weer.'

'Hoe ging het, meisje?'

'Koos zegt dat ik het goed doe. En ik ken mijn tekst.'

'Je wordt vast aangenomen.'

'Zeg dat nou niet, Gijs,' riep moeder. 'Dan gaat het vast mis.'

'Ze is gewoon de beste, dus krijgt ze de rol.'

'Ik zie wel,' zei Janneke. 'Ik doe gewoon mijn best. Als ik word aangenomen, word ik aangenomen. En anders lukt het misschien de volgende keer.'

Laus keek naar zijn zusje. Ze leek opeens zo groot en volwassen. Hoe deden meisjes dat toch? Fleur had het ook. Die was al bijna een vrouw. Zou zij ooit iets met een jongen zoals hij willen?

Je wist het niet. Het zou kunnen. Als hij een beroemde dichter was, of een zanger, of een filmster. Maar ja...

'Ik ga naar boven,' zei Janneke. 'Ik moet morgen goed uitgerust zijn.' Ze ging uit zichzelf naar boven om te douchen.

'Ga jij zo ook naar boven, jochie?' vroeg zijn moeder.

'Alleen de eerste helft afkijken.'

'Ach ja,' zei zijn vader.

Twintig minuten later moest hij dan echt naar bed.

'Kom jongen. Nu naar boven.'

'Oké, oké.'

Even later stond Laus met zijn zusje in de badkamer.

'Zeg Jan...'

'Wat dan?'

'Vind jij wel eens een jongen leuk die jonger is dan jij?'

Janneke poetste haar tanden en keek in de spiegel. Ze trok haar lippen op om te kijken of het allemaal goed schoon was.

Had ze niet gehoord wat hij vroeg of zo? Waarom gaf ze geen antwoord?

'Jan?'

'Ja ja. Ik heb je wel gehoord, maar ik ben even bezig met mijn tanden. Ik moet er goed uitzien. Dat hoort erbij als je actrice wil worden.'

Ze nam een slok water, spoelde die heen en weer door haar mond en spuugde hem uit.

'Dat kan wel,' zei ze toen, 'maar het gebeurt niet vaak. Meestal zijn jongens kinderachtig. En doen ze stoer en zo.'

Ze pakte een handdoek en depte voorzichtig haar mond.

'Maar als het een lieve en gevoelige jongen is, dan zou het best kunnen.'

Een laatste blik in de spiegel en toen liep Janneke de gang op.

'Trus,' zei ze nog.

Laus keek ook in de spiegel. Was hij een lieve en gevoe-lige jongen? Misschien wel. Wat doen lieve, gevoelige jongens?

Kitty is verliefd

Kitty sprong uit bed en stapte meteen onder de douche. Vandaag was de dag!

Net toen ze in de badkamer haar haar anders dan anders stond te doen, ging de deur open.

'Wat sta jij te doen?' Fleur begon al te lachen.

'Mijn haar. Dat zie je toch!'

'Ga je naar een feestje of zo?'

'Waarom bemoei jij je niet met je eigen zaken?'

Kitty voelde dat ze rood werd. Shit.

Aan de ontbijttafel ging het mis.

'Kitty krijgt vandaag bezoek,' zei haar moeder. 'Laus komt spelen.'

Fleur begon te joelen.

'Ooo. Nu begrijp ik het. Vandaar dat haar. Je bent verliefd hè? Op Laus! Hoe krijg je het voor elkaar!'

Kitty besloot niks te zeggen. Ze at zo snel mogelijk haar boterham op en ging naar haar kamer.

Hoe lang duurde het nog voordat hij kwam? Ze keek op haar wekker. Nog meer dan een uur.

Zou Fleur dan nog thuis zijn? Die ging hopelijk naar een vriendin. En anders... Anders kon Kitty haar maar het beste vermoorden voordat Laus kwam.

Kitty grinnikte. Zou ze dat kunnen? Zou ze haar zus kunnen doodslaan met een hockeystick en dan in stukjes zagen? En die stukjes dan door die aardappelsnijder halen, waar haar moeder patat mee maakte.

Kitty zag het helemaal voor zich. Al die patatjes Fleur in de frituur. Maar ja, wie zou ze willen opeten? Steven en Harold misschien wel.

Ze pakte haar dagboek en schreef over Laus. Hij stond er al honderd keer in. Maar nooit met zijn eigen naam. Stel je voor dat het dagboek kwijtraakte en dat iemand het vond. Of dat Fleur het op straat aan iedereen liet zien.

Dat was veel te gevaarlijk. In het dagboek heette Laus de dichter. Omdat ze vond dat hij eruitzag als iemand die poëzie schreef. Kwetsbaar. Breekbaar. Gevoelig.

Hij heeft mooie ogen. Zachte ogen.
Het lijkt net of die ogen kunnen praten. Of ze iets zeggen.
Maar ik weet niet wat. En dat is juist zo spannend.

Precies om elf uur ging de bel. Hij kwam precies op tijd! Dat was een goed teken. Dat betekende dat hij haar belangrijk vond. Toch?

Ze rende naar beneden. Waar was Fleur? Die liet zich niet zien. Gelukkig. Ze opende de deur. Daar stond-ie, de dichter. Hij keek een beetje verlegen naar de vloer. Lief!

'Hallo,' zei ze. Ze probeerde haar adem onder controle te krijgen.

'Hoi,' zei Laus zacht.

'Kom je mee naar boven?'

'Oké.'

Ze kwamen niemand tegen in de gang of op de trap. Het leek wel of iedereen weg was. Waarschijnlijk had haar moeder dit geregeld. Bedankt, mam.

Toen ze Laus binnenliet op haar kamer zag ze dat het dagboek nog op haar bed lag. Kitty kreeg een kleur, maar hield zich in. Heel rustig pakte ze het op, klapte het dicht en schoof het tussen de andere boeken in de kast. Daarna ging ze op haar bed zitten.

Tja. Wat nu? Wat moest je eigenlijk doen met een jongen die kwam spelen? Jongens wilden vast niet kletsen.

Of tekenen. Jongens wilden altijd iets doen. Gamen. Of op de computer of de Playstation.

Kitty dacht snel na. Ze had geen oorlogs- of voetbalspellen. En karaoke wou Laus vast niet. Misschien wilde hij ergens naartoe. Iets ontdekken. Jongens hielden toch van avontuur?

'Wat wil je doen?' vroeg ze. 'Zullen we zo naar buiten gaan?'

Ja, dat wou ze. Met Laus wegfietsen en dan ergens stoppen. In het gras liggen en naar de wolken kijken. En dan beesten raden.

'Ik heb niet zo'n zin om naar buiten te gaan,' zei Laus. Hij keek door het raam in hun tuin. 'Misschien straks.'

'Oké,' zei Kitty. 'Ik vind het best.'

Hij wou binnen blijven. Ook goed.

Opeens kreeg ze een vreemd gevoel. Er was iets. Het ging allemaal niet vanzelf. Laus ging niet zitten. Hij bleef bij het raam staan.

Het was net of hij er niet echt bij was. Stond hij aan andere dingen te denken? Misschien hadden alle dichters dat. Het had ook wel iets spannends.

Ze vroeg zich af wat ze moest zeggen, waar ze met hem over zou kunnen praten. Gek, als ze met vriendinnen was dacht ze daar nooit over na.

Op de gang klonk gestommel. Laus keek om.

'Is Fleur thuis?' vroeg hij.

Kitty keek naar hem. Zijn ogen glinsterden.

Fleur?

O nee!

'Fleur?' zei ze. 'O. Eh nee. Nee, die is er niet.'

Laus mist Fleur

Toen Kitty nog twee keer had gevraagd of hij mee ging fietsen, kon Laus er niet meer onderuit.

'Waar wil je dan heen fietsen?' vroeg hij.

'We zien wel. Het is toch lekker weer?'

Hij haalde zijn schouders op. 'Oké dan.'

Ze ging hem voor naar beneden. Op de gang bleef hij even staan. Waar was de kamer van Fleur? Wat zou hij graag even binnen kijken. Even bleef hij staan luisteren.

'Kom je?' klonk Kitty's stem van beneden.

Laus deed zijn best om vrolijk te kijken toen hij de trap af liep. Hij had geen zin om met Kitty te gaan fietsen. Wat had hij daaraan?

Wacht eens... Kon hij niet vragen of Fleur ook mee ging? Zoiets kon je toch gewoon vragen? Waarom deed hij dat dan niet?

'Zullen we naar het bos gaan? Of naar het meertje?' Kitty stond al klaar met haar fiets in de hand. Ze keek hem niet aan.

'Zeg jij het maar,' zei Laus. 'Het maakt mij niet uit.'

'Laten we dan maar naar het bos gaan. Daar is het lekker koel.'

Laus antwoordde niet, stapte al op en fietste weg.

Even later reden ze zwijgend naast elkaar.

'Lekker, die zon.'

'Ja, lekker.'

Shit, dacht hij, ik moet nu wel een beetje met haar praten, anders vraagt ze me niet meer. En dan zie ik Fleur nooit meer. Ja, van een afstandje, maar daar heb ik niks aan.

'Beter dan regen en zo,' zei hij.

'Ja nou.'

Hij baalde dat hij Fleur niet had gezien. Hij wist bijna zeker dat hij een meisjesstem had gehoord, beneden. Waarom had Kitty daar eigenlijk over gelogen? Ze was toch niet jaloers?

'Ik hou van fietsen,' zei Kitty. 'Jij?'

Hij schrok op uit zijn gedachten.

'Ik ook wel ja. Als het mooi weer is.'

'Zullen we daar even stoppen?'

'Waarvoor?' Hij schrok er een beetje van. 'Waarom wil je stoppen?'

'Gewoon. Om even uit te rusten.'

Kitty stapte al af en zette haar fiets tegen een boom. Ze ging in het gras zitten.

'Hè, lekker,' zei ze. Ze liet zich achterover vallen en sloot haar ogen.

Laus stond naast zijn fiets en keek naar haar. Wat moest hij nou? Als het Fleur was geweest die daar lag, dan had hij het wel geweten. Dan was hij naast haar gaan liggen. Misschien had hij haar hand gepakt. Zou hij dat gedurfd hebben? Misschien toch wel.

Hij ging naast Kitty zitten en keek in de verte. Hij moest een keer alleen zijn met Fleur. Buiten of binnen maakte niet uit. Als hij maar even alleen met haar was. Dan merkte hij wel of ze hem leuk vond. Zoiets voel je.

'Schrijf jij wel eens gedichten?' vroeg Kitty opeens.

Wat? Hij keek snel even opzij. Ze had haar ogen nog steeds dicht.

Gedichten! Daar was-ie gisteravond mee begonnen! Hoe wist ze dat?

'Soms,' zei hij achteloos. 'Als ik niks te doen heb. Hoezo?'

'Zomaar. Ik dacht het zomaar.'

Omdat Kitty niets meer zei liet Laus zich achterover zakken. Zo lag hij een tijdje in stilte naast haar. Hij wou doordromen over Fleur, maar dat ging niet meer. Hij was in de war door Kitty's vraag.

Had ze hem begluurd? Dat kon bijna niet. Wist Kitty meer dan andere mensen? Zou ze soms een heks zijn?

Moderne heksen had je ook. Die zagen eruit als gewone meisjes. Maar ze deden echte heksendingen.

Laus gluurde opzij. Wat een vreemd meisje was die Kitty eigenlijk. Mooie lange wimpers had ze, dat wel. Dat was ook vast iets van heksen.

Hij schrok van haar stem.

'Wil je een gedicht voor me opzeggen? Kan je dat?'

'Nee,' zei hij meteen. 'Ik weet ze niet uit mijn hoofd.'

Dat was dus gejokt. Maar hij kon toch niet *Ik voel* opzeggen en verder niks? Een gedicht van twee woordjes!

'Jammer.'

Stilte. De wind in de bomen. Vogels. In de verte een hond. En kinderstemmen.

'Hou jij van gedichten?' vroeg Laus.

'Best wel.'

'Ja, daar houden meisjes van, hè?' Hij haalde even diep adem. 'Fleur ook?'

Het bleef even stil. Hij hoorde hoe ze inademde.

'Dat weet ik niet,' zei ze.

Hij zag dat Kitty haar hoofd had weggedraaid. Nu zag hij alleen maar haar haar. En ze zei niks meer. Waarom nou? Hij mocht toch wel wat vragen? Het was gewoon een vraag!

Na een minuut of vijf stond Kitty op.

'Laten we maar eens terugfietsen,' zei ze.

Ze sprong op haar fiets en keek niet meer om.

Laus keek haar na. Er was iets met Kitty. Maar wat?

Laus wil dichter worden

Toen Laus thuiskwam stonden zijn ouders te dansen in de kamer. Ze hadden ouwelullenmuziek opgezet en de bank aan de kant geschoven. Ze dansten wild van de voorkamer naar de achterkamer en weer terug. Janneke zat erbij en straalde.

'Ze is aangenomen!' riep zijn moeder.

'Ze heeft gewonnen!' lachte zijn vader.

'Ze heeft de rol, begrijp je?'

'Ze was de beste bij de auditie!'

De muziek werd nog harder gezet. Wat een lawaai!

'Cool, hè!'

'Vet!'

Laus draaide met zijn ogen. Wat deden ze weer stom. Hij was blij dat Fleur dit niet zag. Dan zou ze helemaal nooit meer iets met hem willen.

Hij stak zijn duim op naar zijn zus. Dus die was straks beroemd. Had hij daar iets aan? Werd hij dan zelf ook een beetje beroemd? Kreeg hij meer vrienden?

Misschien was het leuk om de broer van de beroemde actrice te zijn. Fleur zou hem zeker leuker vinden. Interessanter. Ook al was-ie jonger dan zij.

Bij het eten moest Janneke alles vertellen. Alles. Zijn ouders wilden precies weten hoe de kleedkamer eruitzag. En toen ze alle vragen hadden gesteld, vroeg zijn moeder

nog wat Janneke op haar broodje had gehad.

Zwaar overdreven allemaal, vond Laus.

'Ben jij niet blij, Laus?'

'Ja hoor, best.'

'Of ben je jaloers?' Janneke keek hem pesterig aan.

'Waarom zou ik? Ik wil helemaal geen acteur worden. Ik moet er niet aan denken.'

'Wat wil je dan wel worden, jongen?' vroeg zijn vader. 'Heb je al enig idee?'

Laus schudde zijn hoofd. 'Ontdekkingsreiziger, denk ik. Of topvoetballer. Of hondenkapper.'

'Hondenkapper?'

De andere drie lachten.

'Hoe kom je d'r op?'

'Ja, fantasie heeft-ie wel.'

Kon je ook dichter worden, vroeg Laus zich af. Was dat een beroep? Ging je dan 's morgens naar je kantoor om gedichten te schrijven? Een poëziebedrijf... zou dat bestaan?

'Maar vertel nou even, Jan,' ging zijn moeder door. 'Dus de opnames zijn maandag en morgen heb je repetities?'

'Maandag ook. Overdag repetities en 's avonds is de opname. Dus ik kan de hele dag niet naar school.'

'Dat regelen we wel.'

'Jongens, eten jullie ook nog wat? Anders moet ik het weggooien.'

Ze aten. Maar elke keer begonnen zijn ouders er weer over. Ze wilden weten wat de regisseur had gezegd, en de schrijver, en de andere acteurs. Alles wilden ze weten. Wat overdreven ze toch weer!

'En er mogen vier mensen komen kijken bij de opnames,' zei Janneke, toen ze bij het toetje waren. 'Dus jullie met zijn drieën en nog iemand.'

'Tja. Wie wil je nog meer meenemen?'

Er viel even een stilte.

'Ik zit erover te denken om dichter te worden,' zei Laus opeens.

Iedereen staarde hem aan. Als het gekund had, had-ie zichzelf ook aangestaard. Wat zei hij nou toch? Waarom zei hij dat?

Hoe dan ook, hij had het gezegd. De woorden waren zomaar als vanzelf uit zijn mond komen rollen. Heel vreemd.

Laus kan niet acteren

Laus zat nog even bij zijn zusje op de kamer. Hij oefende met haar voor de soap. Niet dat het nodig was, want ze kende de tekst al helemaal uit haar hoofd. Maar ze wou het toch.

'Ik wil 'm elke dag een paar keer doen. Voor de zekerheid.'

Laus had het script voor zich liggen. Hij las de teksten van alle rollen, behalve die van Eefje. Want die speelde Janneke.

'Heeft het met die jongen te maken, Eefje? Waar je me over verteld hebt?'

Janneke stond op en zwaaide met haar armen.

'Hij weet helemaal niet dat ik besta. Als ik hem tegenkom kijkt hij gewoon recht door me heen.'

'Moet je zo met je armen zwaaien?' vroeg Laus.

'Dat heeft de regisseur gezegd!'

'Ik vind het nogal stom staan.'

'Wat weet jij ervan? Bemoei je er niet mee. Ga nou maar door.'

'Weet je wel hoe hij heet? En weet hij hoe jij heet?'

In het stuk was Eefje verliefd op een jongen die veel ouder was dan zij.

'Hoe loopt het eigenlijk af?' vroeg Laus.

'Hoe bedoel je?'

'Krijgt Eefje iets met die jongen of niet?'

'Nee.'

'Waarom niet? Omdat hij te oud is voor haar?'

'Nee, niet daarom. Gewoon. Het wordt niks. Ga nou maar door.'

Laus keek weer in het script, maar dit was het moment.

'Het kan toch best,' vroeg hij verder, 'dat die jongen verliefd wordt op die Eefje, ook al is ze jonger?'

'Tuurlijk kan dat. Dat gebeurt zo vaak. Lees nou maar verder.'

'Maar als het meisje de oudste is? Kan ze verliefd worden op een jongere jongen? Dat gebeurt niet zo vaak, hè? Waarom eigenlijk niet?'

Janneke keek hem scherp aan.

'Waar heb je het nou over? Waarom wil je dat opeens allemaal weten?'

'Zomaar. Laat maar.' Laus las de zinnen nog een keer. *'Weet je wel hoe hij heet? En weet hij hoe jij heet?'*

Janneke gaf geen antwoord.

'Weet je het niet meer? Net wist je het nog.'

'Ben je verliefd of zo?'

'Nee zeg, doe niet zo stom.'

'Waarom word je dan zo rood?'

'Hou op, Jan. Of ik overhoor je niet meer.'

'Op een ouder meisje. Wie zou dat kunnen zijn? O, wacht, Fleur. Natuurlijk. Is het Fleur?'

'Nee.'

'Wel dus. Acteren kun je niet, broertje. Ik heb je door.'

Laus probeerde rustig adem te halen. Nu moest hij *cool* blijven. Alsof hij poker aan het spelen was.

'Fleur van Kitty? Nee zeg. Die is toch veel te oud voor mij. Ik val niet op ouder.'

Janneke gooide haar hoofd achterover. Ze lachte hard.

'Wat is er?' vroeg hun moeder vanaf de gang.

'Je houdt je mond!' siste Laus.

Laus zegt het toch maar

Drie kwartier later stond Laus met zijn zus voor de spiegel tanden te poetsen. Als vanzelf kwam het eruit.

'Oké, je hebt gelijk. Ik ben verliefd op Fleur.'

Wat was dat toch voor idioots? Dat was al de tweede keer vanavond, dat hij iets zei wat hij misschien helemaal niet wilde. Alsof zijn mond en tong en lippen gewoon deden waar ze zelf zin in hadden.

En nu? Hij hield zijn adem in.

Maar Janneke deed heel gewoon.

'Ik kan het me voorstellen,' zei ze. 'Ik wou dat ik zo knap was als zij. Dan ging ik naar Hollywood. En dan werd ik pas echt rijk en beroemd.'

'Maar denk jij dat zij wil met iemand wil die jonger is?'

Janneke staarde langs hem heen. Alsof ze even naar Fleur keek, door de muur, over de straat en door de muren van Fleurs huis heen. Misschien stonden de twee zusjes hun tanden te poetsen voor een spiegel. Praatten zusjes ook met elkaar over verliefd zijn? Vast wel.

'Waarschijnlijk niet,' zei Janneke. 'Meisjes willen meestal oudere jongens. Maar je weet het nooit natuurlijk.'

'Wat moet ik dan doen? Moet ik haar iets geven? Een cadeautje? Of eh... een gedicht? Wat doe je als je verliefd bent?'

'Dat weet ik niet. Dat doet iedereen anders.'

'Moet ik dan met haar zoenen?'

'Dat kan. Maar moet je niet weten of ze ook met jou wil? Straks begint ze je te meppen als je haar opeens z...'

Janneke zweeg toen de deur openging. Hun moeder keek hen aan.

'Schieten jullie een beetje op? Jij moet morgen fris zijn, Janneke. En jij bent al weer veel te laat, Laus. Kom op, jongens!'

'Ja ja.'

'We zijn bijna klaar.'

Hij poetste driftig verder en keek in de spiegel naar Janneke. Ze glimlachte naar hem.

Soms was het wel vet om een oudere zus te hebben, dacht Laus. Als ze hem niet verraadde.

Eenmaal in bed kon Laus niet slapen. Opeens ging de deur open en kwam Janneke binnen. Ze ging op de rand van zijn bed zitten.

'Ik heb er nog even over nagedacht,' zei ze. 'En ik zou het maar gewoon tegen Fleur zeggen. Dat je op haar bent. Als ze jou helemaal niet ziet zitten, dan zegt ze dat en dan weet je het. Anders ben je misschien maanden voor niks verliefd. Toch? Nou, sterkte.'

Ze gaf hem een kus op zijn voorhoofd en verliet de kamer.

In het halfdonker probeerde Laus zich voor te stellen hoe dat zou gaan. Hoe hij het tegen Fleur zou zeggen.

Ik ben verliefd op je, Fleur!

Wat heerlijk dat je dat zegt, Laus, want ik hou van jou. Al heel lang. Maar ik durfde het niet te zeggen.

Zal ik je kussen, Fleur?

O ja, Laus. Daar droom ik al maanden van.

Ik ook, ik ook.

En dan zou hij haar kussen. Niet op de wang natuurlijk. Op de mond. Maar dan ook met de tong? Dat zou ze wel willen, waarschijnlijk. Oudere meisjes en jongens zoenden met de tong, dat had hij weleens gezien.

Durfde hij dat?

Tuurlijk. In zijn droom durfde hij alles.

Tongkussend viel hij in slaap.

Kitty krijgt bezoek

'Er is iemand voor je.'

Kitty liep naar de voordeur. Daar was hij weer. Laus. De hele nacht had ze er niet van geslapen. Van hun fietstochtje en wat hij tegen haar gezegd had. Dat hij steeds naar haar zus had gevraagd. Iedereen was altijd bezig met Fleur: Fleur was mooi, Fleur was knap, Fleur was goed op school. Alsof zij dat niet wist. En nu begon Laus ook al!

'Hai.'

'Hallo,' zei Laus. 'Ben je iets aan het doen? Kan ik even langskomen?'

'Nee hoor. Ik bedoel, ja hoor. Ik bedoel, ik ben niks aan het doen. Je mag langskomen. Wil je naar boven? Je wilt zeker niet fietsen?'

'Nee. Of ja. Ik eh… Ik wil wel even naar boven.'

Kitty voelde dat haar gezicht gloeide toen ze naar boven liep. Wat zei ze toch altijd stomme dingen. Net tegen Laus. Wat onhandig van verliefd zijn. Net als je geen stomme dingen wilt zeggen, dan zeg je ze wel!

'Wat was je aan het doen?'

'Niks.' Snel schoof ze haar dagboek weg. En ging op bed zitten.

Laus bleef staan. Even bleef het stil.

'Wat wil je gaan doen?' vroeg zij.

'Ik wil even met je praten.'

'Oké.' Kitty's hart bonsde in haar keel. Wat was dit? Misschien vergiste ze zich. Misschien was het allemaal anders dan ze dacht. Misschien vroeg hij steeds naar Fleur omdat hij verlegen was. Omdat hij iets zocht om over te praten.

Ze keek hem even aan. Ja, hij was ook een beetje rood. Zie je wel.

Stom van haar. Als je verliefd bent, haal je je dingen in je hoofd die niet waar zijn. Dat had ze weleens ergens gelezen.

Dus... Misschien kwam hij toch wel voor haar?

'Ik wil je iets vertellen, maar ik durf niet zo goed.'

Wat lief is hij toch! dacht ze. Hij zegt gewoon dat hij niet durft. Zie je wel dat hij een dichter is?

Ze schoof wat opzij.

'Kom anders even zitten.'

'Oké.'

Daar zat hij dan, naast haar op het bed. Uit haar ooghoek zag ze dat hij recht voor zich uit keek. Net als zij. Niet dat daar iets te zien was. De kast met spellen en knuffels. Dat zag er kinderachtig uit, bedacht ze zich. Te laat. Niet aan denken!

'Ik eh...' Hij viel stil.

Wat moest ze doen? Moest ze 'm helpen? Zij kon het natuurlijk ook gewoon als eerste zeggen dat ze verliefd was?

Heel voorzichtig schoof ze een stukje zijn kant op.

'Ik ben eh... een beetje verliefd,' zei Laus met schorre stem. 'Een beetje veel eigenlijk.'

Kitty durfde niet naar hem te kijken. Haar hele lichaam

45

begon opeens te tintelen. Alsof er duizenden hele kleine naaldjes in gestoken werden. Was het angst of was het opwinding? Ze wist het niet.

'Janneke vindt dat ik het gewoon moet zeggen. Dan weet ik tenminste waar ik aan toe ben. Vind jij dat ook?'

Kitty keek opzij. Laus zag er nog steeds onzeker uit. Ze pakte zijn hand. Ze moest hem aanraken. Dat kon niet anders. De hand voelde een beetje klam. Angstig. Een angstig handje was het.

'Janneke heeft gelijk,' zei ze. 'Het is goed dat je het zegt. Wat het ook is.'

Laus zweeg even. 'Oké,' zei hij toen. 'Misschien moet ik dat dan maar doen. Maar misschien... Wil jij mij helpen?'

Wat lief van hem.

'Natuurlijk,' zei ze. En ze kneep in zijn hand.

'Oké. Cool. Wil jij haar vragen of ze mij ook leuk vindt?'

Het duurde even tot die woorden goed tot Kitty doordrongen. Vragen of 'ze' hem leuk vond?

Ze wist het al. Toch was het alsof er met een grote hamer op haar hoofd geslagen werd.

Ze trok haar hand terug en vroeg: 'Wie bedoel je?'

'Ik ben zó verliefd op Fleur. Ik wil gewoon weten of ze mij ook wil. Is ze thuis?'

Kitty ziet een prachtig lijk

'Ik wil je even spreken.' Kitty zei het ernstig. Ze had er buikpijn van. Wat een rotdag was dit. Maar ze moest het doen. Voor Laus.

Fleur keek haar met grote ogen aan.

'Wat klinkt dat echt! Is er iets?'

'Ja, ik moet je iets vragen. Het is belangrijk.'

'Vraag maar. Ik heb toch niks te doen.'

Kitty keek om zich heen. Was het veilig? Er moest niet opeens iemand binnenkomen.

'Vraag dan.' Fleur leek nu toch behoorlijk nieuwsgierig. 'Waar gaat het over?'

'Over verliefdheid.'

'Ben je verliefd? Op wie? Ken ik 'm? Iemand van school?'

Ja, tuurlijk. Fleur zou haar eens een keer wel meteen begrijpen.

'Het gaat niet om mij. Híj is verliefd.'

'En jij niet? Ideaal. Laat hem maar zweten en stotteren. Het beste is als hij verliefd is en jij niet. Geloof me.'

'Ik zeg toch, het gaat niet om mij. Hij is verliefd op jou.'

'Op mij? O nee hè?' Fleur zakte onderuit op de bank. 'Alweer één? Wie nou weer?'

Kitty bekeek haar zus. Achter haar, verderop, in de keuken, stonden zes messen in een houten blok. Grote

messen met van die zwarte handvatten, om vlees mee te snijden. Ze zou zo'n mes kunnen pakken en in Fleur steken. Tsjop.

Dan was Fleur ook van haar probleem af. Dat alle jongens en mannen verliefd op haar werden. Toch? Ja, ze zou haar zus er nog mee helpen ook. Fleur zou nog een paar dagen een prachtig lijk zijn. En dan was Kitty voor altijd van haar af. En van al die mensen die alleen maar over Fleur konden praten.

Maar ja.

'Hij heeft me gevraagd om met je te praten. Om te vragen of jij hem ook leuk vindt.'

'Vast niet. Wie is het?'

Kitty aarzelde. Aan de ene kant hoopte ze dat Fleur niets met Laus te maken wilde hebben. Dat Fleur hem stom vond, te jong en te klein. Ze wilde niet dat die twee met elkaar waren.

Maar dan zou Laus niet meer langskomen. Als Fleur hem wel wilde zien, leerde Laus haar, Kitty, ook beter kennen. Dan merkte hij vanzelf dat zij veel leuker was dan Fleur. Of ging dat niet zo? O, wat een verschrikkelijke dag was dit.

'Je houdt er wel je mond over, hè? Het is geheim.'

'Ik beloof je dat ik niks zal zeggen. Tegen niemand. Wie is het nou?'

'Hij is echt heel erg verliefd, dus je moet lief reageren. Anders kwets je 'm.'

'Ja ja ja. Wie is het nou? Iemand van school?'

'Nee.'

'Uit de straat?'

'Ja.'

'Harold of Steven?' Fleurs ogen schitterden. 'Of allebei?'

Kitty zuchtte. 'Niet Harold of Steven. Nee.'

'Wie dan wel? Wie dan wè-hèl?'

Kitty sloot even haar ogen. Dit was de ergste dag van haar leven. Erger dan dit kon het niet worden.

'Het is Laus,' sprak ze. 'Van nummer 1.'

Even bleef het stil in de kamer. Toen barstte Fleur uit in een hysterisch gelach.

'Laus?' gilde ze. 'Dat meen je toch niet? Die kleuter? Die bleke dombo? En hij wil weten of ik hem ook leuk vind? Dat is echt de beste grap van de week! Laus! Het idee!'

Kitty zei niks. Wat viel er te zeggen? Dat vreselijke wijf daar was haar zus en zou dat altijd blijven. Iedereen was altijd verliefd op haar terwijl het een ongelofelijk stomme trut was. Dat kwam omdat iedereen altijd alleen maar naar het uiterlijk keek. Zo ging het nou eenmaal in de wereld. Zelfs Laus deed dat.

Maar wat moest ze nou tegen Laus zeggen? Wat een vreselijke dag was dit.

Wat voelt Laus?

Laus zat achter zijn computer en staarde naar het scherm. Daar stond nog steeds alleen maar *Ik voel*.

Vandaag ging hij dit gedicht afmaken. Dan kon hij aan nummer twee beginnen. Maar er was een probleem. Want wat voelde hij nou eigenlijk precies?

Hij voelde zich opgewonden, omdat hij verliefd was. Maar er knaagde ook iets. Alsof iets hem vanbinnen zat op te vreten. Een rat die aan zijn hart knabbelde. Zoiets. Maar waar kwam dat beest vandaan? En hoe schreef je dat op? Nu moest hij iets opschrijven. Iets. Wat dan ook.

Ik voel
Ik weet niet wat ik voel

Het stond wel mooi. Een heel kort zinnetje en daaronder een iets langer. En het was de waarheid. Was dat misschien de truc? Dat je gewoon de waarheid opschreef?

Ik voel
Ik weet niet wat ik voel
Ik voel me blij
Maar ook weer niet
Want er knaagt een rat in mij

Wauw! Dat rijmde. Zomaar. Vanzelf. Dit ging goed.
Hij dacht even na.

En dat lijkt wel op verdriet

Prima. Dit begon een echt gedicht te worden.
Laus las over wat hij had. Ja, het was goed. Het was nog niet klaar. Maar tot nu toe was het goed.

Kitty krijgt een kaartje

'Hé Janneke!' Kitty zwaaide naar Janneke die aan de overkant liep. 'Het gaat door, hè, met die soap. Goed zeg.'

'Ja, leuk hè?'

Janneke kwam naar haar toe. Het leek wel alsof ze groter en mooier was geworden. Haar ogen straalden.

Kitty voelde zich grijs en zielig. Zou Janneke dat ook zien?

Ze wist niks te zeggen. Ze hoorde Janneke al denken: hoe kom ik weg?

'Jan?' vroeg ze.

'Wat is er? Je kijkt zo zielig.'

Kitty verbeet zich. Ze mocht niet gaan huilen. Niet hier op straat.

'Kom, we gaan even een stukje lopen,' zei Janneke.

Zie je wel. Die zag wat er in Kitty's hoofd omging.

'Die kant op?'

Ze liepen de straat uit en de hoek om. Hier begonnen de bomen en waren ze alleen. Een zachte zomerwind maakte muziek met de miljoenen blaadjes boven hun hoofd.

'Wat is er aan de hand?' vroeg Janneke vriendelijk.

'Het gaat om Laus. Hij is verliefd op Fleur.'

Janneke knikte. 'Ik weet het,' zei ze. 'Hij heeft het mij verteld.'

'En toen is-ie bij mij gekomen om te vragen of ik aan

Fleur kon vragen of zij ook verliefd op hem was. En dat heb ik gedaan.'

Kitty zweeg. Verderop fietsten een paar kinderen die ze niet kende. Ze gilden en schreeuwden, maar ze kon niet zien waarom of naar wie.

'En?' vroeg Janneke.

'Fleur vindt Laus stom en wil niks met hem te maken hebben.'

'Dat dacht ik wel. Die zus van jou kan alle jongens krijgen die ze maar wil. En Laus is twee jaar jonger dan zij.'

'Zij vindt Steven en Harold leuk.'

'Dat zijn heel andere jongens. Ze houdt gewoon van macho's. Ach ja.'

Als vanzelf liepen ze van de weg af en gingen in het gras zitten. Hoog gras was het, waar ze bijna in verdwenen.

Opeens voelde Kitty zich veilig, zo beschut bij deze oudere vriendin. Janneke wist altijd al wat ze wilde. Het leek wel alsof ze nooit bang was.

'Maar wat moet ik nou doen?' vroeg Kitty. 'Moet ik aan Laus vertellen wat Fleur vindt?'

'Ik denk van wel. Dan kan hij haar uit zijn hoofd zetten. Dat is beter.'

Kitty zweeg en keek naar een torretje dat langs een dikke vette grasspriet naar boven kroop. Wat ging dat beestje doen? Wat was er aan het eind van die grasspriet?

'Zo erg is het niet, hoor,' zei Janneke. 'Daar kan Laus heus wel tegen. Volgende week is-ie weer op iemand anders verliefd.'

Was dat echt zo? Kitty kon het niet geloven.

'Ja, dat zal wel,' zei ze. 'Maar eh... Dan komt-ie natuurlijk ook niet meer langs. Bij mij dan.'

Het leek of zelfs de wind even zijn adem inhield. De
kinderen verderop waren verdwenen.

'O wacht,' zei Janneke toen. 'Wacht even.'

Janneke begreep het, wist Kitty. Ze zag het aan haar.
Het was een prachtige foto: Janneke keek weg, roerloos,
met haar kin iets omhoog. Ze luisterde, alsof er in de
verte iets gezegd werd.

'Wil je komen kijken bij de opname morgenavond?'
zei ze toen. 'Ik heb nog een kaartje over. Als je wilt mag
je mee.'

Kitty wil wegzweven

Kitty wilde niet binnen zijn. Ze wou haar zus niet tegen-komen. En ook haar moeder niet. Die zou aan haar zien dat er iets was en dan ging ze vragen stellen.

Dus lag ze op het grasveld voor het huis. Met een boek. Ze deed alsof ze las. Hoe lang zou ze hier kunnen blijven? Als het donker werd moest ze toch naar binnen. Maar dat duurde nog wel een paar uur.

Ze staarde naar het papier. De letters dansten alle kan-ten op. Lezen ging helemaal niet.

Ze keek de straat uit en zag Laus verderop. Daar had je 'm. Daar was-ie. Hij stapte op zijn fiets en kwam haar kant op. O nee. Kitty keek om zich heen. Kon ze nog weg? Te laat. Hij had haar al gezien. Wat nu?

'Hai.'

'Hai.'

'Hoe gaat het?'

'Goed. Met jou?'

'Ook goed.'

Wat een stom gesprek, dacht ze. Nu waren ze net grote mensen. Die zeiden ook altijd hetzelfde als ze elkaar zagen. *Hoe gaat het? Goed, met jou? Prima. Hoe is het met je werk? Jaa... en bij jou? Ook prima. En de kids? Helemaal top-pie. Die van jou? Ook, ook.*

Bla bla bla.

'Heb je nog eh...?' Laus maakte zijn zin niet af.

'Wat bedoel je?'

Misschien gebeurde er iets waardoor ze niet hoefde te antwoorden. Een vliegtuig dat neerstortte in de straat. Of dat ze opeens moest kotsen.

Er gebeurde niets. De wind bleef waaien, de zon bleef schijnen en Laus bleef haar vol verwachting aankijken.

'Nou ja, je weet wel,' zei hij. 'Heb je nog met Fleur gepraat?'

'O dat.' Kitty zei het zo achteloos mogelijk. 'Of ik nog met haar gepraat heb?'

'Ja, heb je het haar gevraagd?'

Nu was er geen weg terug. Nu moest ze echt antwoord geven.

'Ja ja ja,' zei ze langzaam. 'Zeker.'

'En wat zei ze?'

'Nou eh...'

Was ze echt niet een beetje misselijk? Genoeg om met haar hand tegen haar mond naar binnen te rennen?

'Wat zei ze over me?' drong Laus aan.

'Nou eh... Ze zei dat ze eh... wist wie je was.'

'Ja hallo. We wonen al ons hele leven in deze straat! Maar vindt ze me leuk? Is ze verliefd op me? Zou ze met me willen?'

'Poe, dat zijn een boel vragen tegelijk.'

Kitty merkte aan de kriebel in haar nek dat ze begon te zweten. Van de zenuwen natuurlijk.

'Wat zei ze over me?'

'Ze vindt je eh... best aardig.'

'Best aardig?'

'Ja. Maar ze is niet echt verliefd, dat niet.'

Kitty keek even op en schrok van Laus. Opeens was hij veel kleiner, bleker, slapper. Hij leek wel een grauw vogeltje.

'O,' zei hij mat.

'Niet echt verliefd, niet echt, maar wel een beetje,' zei ze snel. 'Ze is nóg niet verliefd. Maar dat kan nog komen.'

'Zei ze dat?' Er lichtte weer iets op in zijn ogen.

Nu kon ze niet meer terug.

'Ja, het moet groeien. Zoiets zei ze.'

'Dus ze vindt me wel leuk? Dat heeft ze gezegd? Dat ze me leuk vindt?'

Kitty wou dat er een aardbeving kwam, dat de aarde openscheurde en haar opvrat. Maar dat gebeurde niet.

'Ja, ze vindt je leuk,' prevelde ze.

Haar stem was bijna onhoorbaar, maar Laus had het gehoord.

'Yes!' riep hij en balde zijn vuist. 'Yes! Ik kom morgen weer bij je langs, oké? Oké?'

Kitty had zo'n droge mond dat ze geen antwoord kon geven. Haar speeksel was zweet geworden en dat gutste nu over haar rug.

Laus sprong op zijn fiets en zwaaide enthousiast.

'Ik zie je morgen,' riep hij terwijl hij wegscheurde.

Kitty staarde naar de lucht. Ze wou dat ze dood was en dat haar ziel naar boven zweefde. De wolken in. Weg van de wereld.

De 'vriendin' van Laus

'Nerveus?'

'Gaat het?'

'Neem nog een boterham.'

'Heb je nou iets gedronken? Neem nog wat thee.'

'Ik ben toch wel een beetje zenuwachtig, ja,' zei Janneke. En ze zuchtte diep.

Laus keek van opzij naar zijn zus. Ze zag er helemaal niet zenuwachtig uit. Misschien zei ze dat omdat het erbij hoorde. Of omdat ze dacht dat hun ouders dat graag wilden horen.

Hij bekeek zijn ouders. Die waren duidelijk op van de zenuwen. Ze zagen er bleek uit. Ze hadden gisteravond vast weer te veel wijn gedronken. Van de zenuwen natuurlijk.

'Waar ben je bang voor?' vroeg zijn moeder. 'Wat is je angst?'

'Dat ze d'r tekst kwijtraakt natuurlijk,' zei z'n vader. 'Dat is waar acteurs bang voor zijn.'

'Hoe weet jij dat nou?'

'Dat weet ik. Dat heeft Koos me verteld. Die is altijd bang dat-ie zijn tekst kwijtraakt.'

'Koos, ja. Janneke niet. Toch? Jan?'

'Laten we er nou maar over ophouden. Oké?'

'Volgens mij zijn jullie zenuwachtiger dan Janneke zelf,' zei Laus. 'En dat is niet goed. Daar maken jullie haar ook zenuwachtig mee.'

Dat werkte. Zijn ouders keken elkaar even aan, knikten en zeiden niets meer. Ze ontbeten verder in stilte.

'Ruimen jullie zo even af?'

'Ik toch niet?' Janneke lachte, maar Laus zag dat ze het ook echt meende.

Ze dacht nu zeker dat ze een ster was. En sterren hoefden zeker geen tafels af te ruimen?

'Waarom jij niet?'

'Tafels afruimen en zo, daar heb ik nu toch mijn personeel voor? Mijn butler?' plaagde ze.

'Best,' zei Laus. 'Ik wil best het personeel zijn. Hoeveel krijg ik betaald?'

'Je krijgt een vrijkaartje voor je vriendinnetje. Oké?'

'O ja,' riep Sandy vanuit de keuken. 'Wie krijgt dat vierde kaartje nou?'

'Dat zeg ik toch?' lachte Janneke. 'Dat is voor de vriendin van mijn butler. Ik heb het al met 'r afgesproken. Ze gaat mee.'

Laus keek haar blij aan. Had ze Fleur meegevraagd? Natuurlijk. Ze had Fleur uitgenodigd. Dit was zijn kans. Wat goed van haar!

'Ik doe de tafel,' zei hij. 'Ga jij maar naar boven. In bad liggen. Je tekst leren. Ik doe de tafel. Ik ruim wel af!'

Fleur ging mee. Wauw! Vet!

Kitty smeekt Fleur

'Laus komt straks langs.'
'Voor mij?' Fleur keek geschrokken. 'Echt waar?'
'Nee. Niet voor jou.'
'O. Voor wie dan? Voor jou dus?'
Kitty zweeg. Wat moest ze nou zeggen?
Haar zus keek haar streng aan. 'Wat komt-ie dan doen?
Komt-ie voor jou? Wat heb je tegen 'm gezegd?'
'Kan ik je vertrouwen?'
'Ja, natuurlijk.'
Nee, natuurlijk niet, dacht Kitty. Ze kon Fleur niet vertrouwen. Dat wist ze toch? Waarom vroeg ze het eigenlijk als ze het zo goed wist?
'Kom even mee naar mijn kamer.'
'Sjongejonge, d'r is heel wat aan de hand, zeg.'
'Kom nou maar.'
Ze liepen naar boven, gingen Kitty's kamer binnen en sloten de deur achter zich.
'Ga maar even op mijn bed zitten.'
Fleur deed wat haar gevraagd was.
'Luister. Luister je?'
'Ik luister.'
'Je moet niet meteen iets zeggen. Je moet wachten tot ik uitgepraat ben en daarna mag je pas iets zeggen. Oké?'
Kitty keek hoe haar oudere zus knikte. Was dat genoeg? Was dat knikje een belofte? Het moest maar. Ze kon niet meer terug.

Ze ging er goed voor staan en schraapte haar keel. Even gebeurde er niets. Even was het alsof de woorden in haar keel bleven hangen. Alsof ze er gevangen zaten.

'Kom op nou,' drong Fleur aan. 'Ik heb nog meer te doen vandaag.' Ze frummelde aan haar bloesje, zoals ze zo vaak deed. Ze was altijd bezig met haar kleding en haar haar.

'Ik heb niet tegen Laus gezegd dat je 'm stom vindt. Ik heb ge..'

'Wat?' Fleur schoot overeind. 'Je hebt toch niet gezegd dat ik verliefd op 'm ben of zo?'

'Wacht nou even! Je zou me eerst laten uitpraten en dan pas iets zeggen. Dat heb je beloofd.'

Had Fleur dat wel beloofd? Ze had geknikt, meer niet. Shit.

Maar Fleur zweeg en ging weer zitten.

'Ik heb niet gezegd dat je 'm helemaal niet ziet zitten, omdat ik 'm niet wou kwetsen.'

'Je kwetst iemand juist als je...'

'Stil nou. Sst. Want er is nog iets.'

Kitty ging ook op het bed zitten. Nu moest ze het goed doen. Ze moest het goed zeggen. Dit was erg belangrijk.

'Ik was bang dat als ik zou zeggen dat jij hem stom vond dat hij dan nooit meer hier zou komen. Dat hij niet meer met mij om zou willen gaan. En dat wil ik niet.'

De laatste zin fluisterde ze bijna. Alsof het dan minder moeilijk was om te zeggen.

Fleur staarde haar aan. Kitty zag dat ze begreep wat er aan de hand was. Dat viel alweer mee.

'O, wacht even. Dus jij bent zelf... Ja ja.'

'Dus zou je alsjeblieft iets voor me willen doen? *Please!* Zou je alsjeblieft een beetje aardig tegen Laus willen doen als je 'm op de gang tegenkomt? Een beetje aardig is genoeg. Speel het spel mee, *please*,' smeekte ze.

Zo. Hè hè. Het was eruit. Nu was er geen weg meer terug. Nu moest ze maar zien hoe het allemaal liep. Als haar zus dat stomme wijf zou zijn dat ze meestal was, ging alles mis. Als Fleur alles gewoon meteen ging door-vertellen aan iedereen, zoals altijd, dan moest dat maar. Dan was er gewoon niks meer aan te doen.

'Dus ik moet een beetje aardig tegen Laus zijn omdat jij verliefd op 'm bent?'

'Ja.'

Stilte.

Beneden hoorde Kitty de stemmen van haar vader en moeder. Waren ze nou aan het ruziemaken of aan het lachen? Soms hoorde je het verschil niet.

Ze keek naar haar zus. Die was weer bezig met haar haar. Ze veegde het naar achteren, krulde het achter haar oor. Wat dacht ze nu?

Fleur ging opeens rechtop zitten.

'Trouwens,' zei ze. 'Ik hoorde van Janneke dat jij mee mag naar de opname van die serie vanavond. Ze had nog een vierde kaartje en haar ouders en Laus gaan natuurlijk en nou mag jij mee als vierde. Toch?'

Kitty knikte.

'Mag ik dan in jouw plaats? Dan kan ik heel aardig doen tegen Laus. En dan komt-ie vast heel vaak hier. En dan zal ik 'm niks vertellen over jou. Over dat je verliefd op 'm bent. Oké? *Deal* of *no deal?*'

Beneden ging de bel. Een harde scherpe bel was het. Het leek heel ver weg. Een bel in de verte.

Kitty hoorde 'm, maar ook weer niet. Ze staarde haar zus aan. Dit was niet te geloven!

Laus snapt er niks van

'Kitty is boven. Ze moet nog even d'r kamer opruimen. Wil je cola?'

Laus knikte. Wauw. Opgewonden liep hij achter Fleur aan naar de keuken. Gelukkig was daar verder niemand, zag hij. Dus konden ze even alleen zijn.

'Een groot glas of een klein?'

'Gewoon.' Als hij een groot glas zou vragen zou ze hem misschien hebberig vinden, vroeg hij een klein glas dan vond ze dat misschien kinderachtig.

'Maakt niet uit. *Whatever.*'

Hij keek naar haar handen toen ze de colafles pakte en de dop eraf draaide. Prachtige handen waren het, met lange slanke vingers, zoals alleen meisjes en vrouwen die hadden. Jongens hadden altijd van die korte dikke vingers. Sterk, maar niet mooi.

'Leuk dat je zo vaak langs komt tegenwoordig. '

Fleur lachte vriendelijk naar hem. Ze schudde daarbij heel even met haar hoofd zodat haar haar zachtjes heen en weer wiegde.

Heb ik nou mijn mond openhangen? vroeg Laus zich af. Shit, ja. Snel dichtdoen.

'Ga even zitten.'

Hij ging zitten. En kreeg een glas cola. Een beetje een kinderachtig glas was het, met ballonnen erop. Deed ze dat expres? Was dat om hem te pesten? Om hem te laten voelen dat hij jonger en kleiner was dan zij? Zelf had ze een heel ander glas.

'Zo. Gezellig.' Fleur ging ook zitten, nam een slok van haar cola en keek met een scheef hoofd naar buiten. Alsof daar iets moois te zien was. Zo keek ze.

Laus keek ook. Er was niks te zien. Gewoon wat bomen en de lucht.

'Jij bent twaalf, hè?' zei hij.

Wat was dat nou weer? Waarom zei hij dat? Wat was dat nou voor opmerking? Hij zei wat hij dacht. Daar moest-ie eens mee ophouden.

'Ja. Jij tien, hè?'

Zie je wel. Daarom was het zo stom. Zij was twaalf, hij

tien. En dat zou altijd zo blijven. Die twee jaar verschil dan. Waarom moest hij daar nou over beginnen?

'Ik vind wel dat je er ouder uitziet,' zei Fleur. 'Volwassener. Ja, sommige jongens hebben dat nou eenmaal.'

Laus voelde dat hij het warm kreeg.

'Jij ook!' zei hij.

Fleur lachte.

Shit. Hij kleurde. Weer een stomme opmerking.

'Ik bedoel, niet dat je een jongen bent of zo. Of dat je er oud uitziet. Ik bedoel, alleen maar eh...'

Ja, wat bedoelde hij nou eigenlijk? Dit ging helemaal verkeerd.

Fleur leek zich er niet aan te storen. Ze speelde met een lok haar en glimlachte.

'Je bent een leuke jongen,' zei ze. 'Echt leuk.'

Wat zei ze? Dat hij een leuke jongen was? Dat zei ze. Echt leuk vond ze hem. Echt leuk, dat betekende bijna... Dat was bijna...

Laus hapte naar adem. Dit ging opeens wel heel erg snel allemaal. Nu was het zijn beurt om naar buiten te kijken. Hij moest even tot rust komen. Dit moest hij even verwerken. Wat moest hij nou met z'n handen doen?

Boven klonk gestommel. Dat was Kitty waarschijnlijk, die haar kamer aan het opruimen was. Was ze dat echt aan het doen? Of had Fleur gevraagd of Kitty hen even alleen wilde laten? Zodat zij even alleen met hem zou kunnen zijn. Om tegen hem te zeggen dat ze hem leuk vond. Daar leek het wel op.

'Echt leuk,' zei ze nog eens.

Laus keek haar aan en probeerde te voelen wat hij

voelde. Wat zou hij nu voor gedicht schrijven als hij achter zijn computer zou zitten? Iets heel blijs zeker.

Hij moest nu ontzettend ongelofelijk onvoorstelbaar blij zijn vanbinnen. Daar voor hem zat het mooiste meisje uit de straat, het mooiste meisje van de school zelfs, het meisje waar hij al zo lang verliefd op was, wel zeker twee weken. En ze zei tegen hem dat ze hem leuk vond. Dan was je toch ongelofelijk gelukkig?

Of niet?

Wat was het toch moeilijk om te voelen wat je voelde. Er was niet ergens een deurtje waardoor je gewoon even naar binnen kon kijken. Waarom was hij niet vreselijk blij?

Hij snapte er niks van.

Laus voelt rare dingen

'Janneke blijft daar. Die hebben vanmiddag generale repetitie gehad. En ze hebben daar met zijn allen gegeten. Geweldig natuurlijk. En nu worden ze geschminkt en zo, denk ik. Schiet je een beetje op?'

'Ja ja.'

Laus zat op de trap en strikte de veters van zijn schoenen.

'Ik kom.'

Een beetje in de war was hij wel. Een beetje veel eigenlijk. De hele middag al, sinds hij bij Fleur was geweest.

Hij wist gewoon niet goed wat hij voelde. Dat was het. Hij was in de war. De rest van de middag had hij alleen maar een beetje tv zitten kijken. Steeds was hij wel even naar boven gelopen. Naar zijn computer. Om aan een gedicht te werken.

Maar er kwam niets. Het ging gewoon niet. Hij kon niet opschrijven wat hij voelde. Niemand had naar hem omgekeken, want ze waren met zichzelf bezig geweest. Dat was wel goed uitgekomen dus.

'Kom nu!'

'Ja ja.' Laus stond op, liep naar buiten, naar de auto, en stapte in. Hij zag hoe zijn moeder nog snel het huis afsloot en een beetje belachelijk huppelend naar hen toe rende. Wat stelde iedereen zich toch aan vandaag!

'We moeten Kitty nog ophalen.'

Wat zei ze? Kitty? Nee!

Laus opende zijn mond om te zeggen dat ze zich vergiste. Dat het niet Kitty was die ze gingen ophalen, maar Fleur.

'Mam, we gaan niet...'

'Had die niet even naar ons toe kunnen komen?' bromde zijn vader.

'Ik heb gezegd dat we haar even zouden ophalen. Maak er nou maar geen punt van.'

'Mam, we gaan helemaal niet...'

'Ik hoop dat we genoeg benzine hebben.'

'Had je niet even kunnen tanken vanmiddag?'

'Had jij ook kunnen doen.'

Laus zuchtte. Wat een stress allemaal. Aanstellerij.

Ze reden naar Fleurs huis, waar zijn moeder weer uitstapte en met hetzelfde belachelijke huppeltje naar de voordeur van nummer tien rende. Voordat ze had kunnen bellen, zwaaide de deur al open.

Daar stond Fleur. Zie je nou wel!

Laus zag dat ze zich had opgemaakt en mooie kleren had aangetrokken. Ze droeg een gekleurde spijkerbroek met een topje, zodat haar buik bloot was, en haar haar stond helemaal wijd uitgekamd. Fantastisch. Wat was ze toch mooi!

'Wat een schitterend meisje is dat toch,' zei zijn vader. 'Niet te geloven. Maar wat is er nou?'

Ze konden niet verstaan wat er gezegd werd daar bij die deur, maar het was duidelijk een heel gesprek. Zijn moeder zei van alles en gebaarde met haar armen, waar Fleur op dezelfde manier op antwoordde. Wat was daar nou weer aan de hand? Waar ging dat over?

'Ze moeten wel een beetje opschieten! We moeten nu echt gaan!' zei zijn vader.

Na een paar minuten verdween Fleur naar binnen.

Zijn moeder draaide zich even om naar de auto en maakte een driftig gebaar.

'Wat is er nou?' vroeg Laus.

'Geen idee,' antwoordde zijn vader. 'Ik heb echt geen idee. Vrouwengedoe.'

Nog geen minuut later verscheen Kitty. Zij trok haar jas aan en kwam met Laus' moeder naar de auto toe gelopen.

Wat was dat nou? Waar was Fleur?

'Pap, er klopt iets niet, want Fleur zou...'

Te laat. De portieren werden geopend en de vrouwen stapten in. Zijn moeder voor, Kitty achterin.

'Wat zei je, jongen?'

'Nee niks, laat maar,' bracht Laus uit.

Wat kon hij nog zeggen?

'Hè hè. Eindelijk.' Zijn vader zette de auto in de eerste versnelling en reed weg.

'Wat was er nou aan de hand, jongens?'

'Te idioot voor woorden. Fleur wou opeens mee. Dat hadden ze afgesproken. Kitty had haar kaartje aan haar zus gegeven.'

Laus begreep er helemaal niets meer van.

'Maar dat kan natuurlijk niet. Dus dat heb ik weer teruggedraaid. Janneke heeft Kitty uitgenodigd, niet Fleur!'

'Waarom had je dat gedaan, meisje? Waarom had je je kaartje weggegeven?'

Zijn vader keek in de achteruitkijkspiegel naar Kitty op de achterbank.

'Wou je niet mee?'

Er viel even een stilte in de auto. Laus keek naar Kitty die naast hem zat. Ze zei niets en keek uit het raam. Janneke had het kaartje aan haar gegeven? Maar ze had gezegd dat het voor 'zijn vriendin' was!

'Laat 'r maar even,' zei zijn moeder. 'Rij nou maar.'

De hele reis naar Hilversum zat Laus erover na te denken. En hoe meer hij nadacht, hoe meer hij in de war raakte.

Het was natuurlijk onzettend jammer dat Fleur niet mee was. Een ramp! Vreselijk! Anders had hij de hele avond naast haar gezeten. Maar er klopte iets niet. Er

klopte iets niet aan dat hele verhaal van dat kaartje en er klopte iets niet bij hem vanbinnen.

Want eigenlijk, als hij eerlijk was, merkte hij dat hij blij was dat Kitty daar zat, en niet Fleur.

Wat was dat nou weer voor idioots?

Wat waren gevoelens toch vreemde dingen!

Laus en Kitty dicht bij de sterren

Laus zat met Kitty op het achterste deel van de tribune. Zijn ouders bevonden zich een stukje verderop.

'Kan je het een beetje zien?'

'Ja hoor. Jij?'

'Best.'

Omdat ze aan de late kant waren geweest, hadden ze nog moeite gehad met het vinden van een plekje. Uiteindelijk was het gelukt en konden ze gelukkig nog twee aan twee naast elkaar zitten.

'Dames en heren, hartelijk welkom in Studio 19!'

Een man met vrolijke kraaloogjes legde uit wat er ging gebeuren. Hij wees de decors aan, vroeg om applausje voor de cameramensen, de lichtmensen en de geluidsmensen. Daarna stelde hij de acteurs voor.

Janneke kwam als laatste aan de beurt. Laus en Kitty trappelden met hun voeten voor extra lawaai.

'Het is haar debuut, dames en heren, dus weest u extra lief voor haar.'

Iedereen ging zich klaarmaken voor de opname.

'Maar het gaat nog een paar minuutjes duren, want we hebben een klein technisch mankementje,' zei de man met de kraaloogjes.

Laus bekeek het plafond van de studio. Ongelofelijk. Er hingen wel duizend lampen.

'Mooi, hè?' zei Kitty. 'Het is net alsof je heel dicht bij de sterren bent.'

Hij keek haar van opzij aan. Alsof je heel dicht bij de sterren bent. Mooi gezegd eigenlijk. Het was net een sterrenhemel, maar nu waren de sterren geen kleine lichtpuntjes, maar grote schijnwerpers.

Kitty was ook een dichter. Of hoe heette dat voor een meisje? Een dichteres.

Het bleef even stil. Laus vond dat hij iets terug moest zeggen, maar hij wist niet wat. En je kon maar beter niks zeggen dan iets stoms.

'Je vindt het natuurlijk heel jammer dat Fleur niet mee is,' zei Kitty opeens. 'Sorry. Het mocht niet van je moeder. Het spijt me echt voor je.'

Laus bekeek haar van opzij. Enorme wimpers boven glanzende ogen. Eigenlijk was Kitty best mooi. Je moest alleen even iets beter kijken.

'Dames en heren, de problemen zijn verholpen. We gaan beginnen met scène één. Opname in vijf tellen. Vijf, vier, drie...'

Meteen in de eerste scène ging iets verkeerd. Een van de acteurs liet een bord vallen en was meteen zijn tekst kwijt. De andere acteurs kregen de slappe lach en de mensen op de tribune lachten hard mee.

Laus keek opzij. Kitty lachte niet. Ze zat strak voor zich uit te kijken. Het leek wel of ze niet merkte wat er om haar heen gebeurde.

Wat een apart meisje was zij eigenlijk. Heel anders dan Fleur. Ze was nog veel minder een vrouw dan haar oudere zus, maar er was iets. Ze had iets bijzonders. Alsof ze een geheim had of zo.

En dat ze het jammer voor hem vond dat Fleur niet mee was. Wat ontzettend lief eigenlijk.

'En daar gaan we weer, opname in vijf tellen: vijf, vier...'

De tweede keer ging de scène goed. En zo gingen ze door naar scène twee en drie en zo verder. Bij de zevende scène was Janneke aan de beurt.

Eindelijk! Laus durfde bijna niet te kijken.

Ongelofelijk, zo rustig als ze daar klaarstond. Hij zag dat ze zelfs grapjes maakte met de andere acteurs. Net echt allemaal. Zijn grote zus was een groot mens aan het worden. Dat was wel duidelijk.

'Opname in vijf tellen: vijf, vier...'

Janneke maakte geen fout en haar scène was meteen de eerste keer goed. Het publiek applaudisseerde enthousiast. Nu durfde Laus ook even opzij te kijken, naar zijn ouders. Die joelden en klapten het hardst van allemaal en ze straalden.

'Dan hebben we nu even een verkleding, dames en heren. Dat geeft mij de gelegenheid u iets te vertellen over hoe deze serie tot stand gekomen is...'

De kraaloogjesman babbelde verder, maar Laus luisterde niet meer. Opeens kon hij zijn ogen niet afhouden van het meisje dat naast hem zat. Opeens zag hij dat ze eigenlijk zo anders was dan andere meisjes. Hoe noemde zijn vader dat ook al weer altijd? O ja, ze was een persoonlijkheid.

Zoals zij was, zo was niemand anders. Natuurlijk had iedereen dat wel, maar de een had dat meer dan de ander. Ja, ze was echt een persoonlijkheid.

'Ik vind het helemaal niet jammer dat Fleur er niet is,' hoorde hij zichzelf opeens zeggen. 'Ik ben blij dat jij d'r bent. Echt waar.'

Kitty verroerde zich niet. Ze keek voor zich uit, bewoog niet en zei niets. Toch hoorde ze hem, dat kon hij zien.

Kitty loopt op de maan

Kitty had het gevoel dat ze zweefde. Nee, alsof ze op de maan liep. Dat was het. Op de maan was je veel lichter dan op aarde, dus was ze nu op de maan.

En dat klopte ook nog echt, want ze was heel ver weg. De mensen om haar heen waren er wel. Maar tegelijkertijd waren ze duizenden kilometers van haar verwijderd.

Ik ben blij dat jij d'r bent.

Echt waar.

Steeds weer hoorde ze die zin in haar hoofd. Dat had Laus echt gezegd. Het was geen droom geweest, geen fantasie in haar dagboek, het was echt gezegd.

Op de terugweg in de auto vertelde Janneke over de hele dag.

'Het was de vetste dag van mijn leven. Ik weet het nu zeker, ik weet zeker dat ik actrice ga worden. De mensen waren zo aardig en er werd steeds zo goed voor me gezorgd. En ik mocht zelf zeggen of ik een broek leuk vond of niet. Anders gingen ze gewoon een andere voor me kopen.'

Ik ben blij dat jij d'r bent. Echt waar, stond er buiten op een muur geschreven. Kitty keek om. Had ze dat nou goed gezien?

'En de regisseur zei nog dat ik veel talent heb. En dat ik heel goed uitvoerde wat hij zei. Dan zei hij bijvoorbeeld dat ik ook moest spelen dat ik een beetje verlegen was, maar niet teveel. En dan deed ik het precies goed. En soms moest het wat sneller en dat ging ook heel erg goed. En ik moest precies op een plakkertje gaan staan, voor het shot van de camera. En daar heb ik ook geen fouten in gemaakt.'

Ik ben blij dat jij d'r bent. Echt waar, stond er op een affiche in de etalage van een winkel. Hè? Kitty wreef in haar ogen. Dat kon toch niet?

'En vanavond was het helemaal te gek. Met dat publiek erbij. Dat klappen en lachen en na afloop bloemen. Het was echt de vetste dag van mijn leven!'

Janneke zat in het midden op de achterbank. Ze leunde naar voren naar haar ouders en ratelde maar door. Ze was helemaal opgewonden.

Kitty zat in stilte rechtsachter, luisterde maar half naar het verhaal en staarde naar buiten. Daar zag ze steeds weer ergens die zin. En daardoorheen flitste het licht van de koplampen van de andere auto's, de straatlantaarns en de verlichte ramen in de huizen. Alsof het vuurwerk was.

Kitty was er eigenlijk bang voor geweest. Ze vond het eng om een hele avond met Laus samen te zijn. Ze had verwacht dat hij alleen maar over Fleur zou gaan praten, maar dat was niet gebeurd. In tegendeel.

Ik ben blij dat jij d'r bent. Echt waar, stond er in grote neonletters op een warenhuis waar ze langs reden.

'Vonden jullie het ook leuk, jongens?' vroeg zijn moeder.

'Geweldig,' zei Laus. 'Ik was beretrots op mijn zus.'

Kitty keek naar hem. Ze zag een dichter naast zich zitten. Een kleine bleke dichter. Niet Janneke zou later beroemd worden, maar Laus. Dat wist ze zeker.

Laus voelt wat hij voelt

Ik voel, ik voel
Ik weet nu wat ik voel
Ik voel me blij
Er speelt een heel orkest in mij

Laus keek naar die vier regels. Hij wou meer schrijven.
Het moest meer worden. Hij moest schrijven wat er vanbinnen bij hem gebeurde. Want hij wist het precies. Hij
voelde vuurwerk, licht, lucht, muziek, noem maar op.
Hij wist precies wat hij voelde. Nu wel.

'Laus, wat doe je? Ben je nog op? Hoe kan dat nou? Het
is kwart over twaalf.'

'Ik ga naar bed. Ik ga al.'

Hij zette de computer uit. Morgen ging hij verder met
zijn gedicht. Hij wist wat het moest worden, hij wist wat
hij voelde. Nu alleen nog de goeie woorden vinden.

Ze is hartstikke verliefd

'Je was toch verliefd op Fleur?'

Tijmen keek zijn vriend verbaasd aan.

'Fleur is veel te oud voor mij. Dat zei je zelf!'

'Dat was toch niet erg? Je vader was toch ook ouder dan je moeder? En je had toch een tante of zo die ouder was dan een oom van je?'

'Het is gewoon voorbij met Fleur. Ik ben nu op Kitty.'

'Ze wou je zeker niet? En dan denk je: dan maar die lelijke!'

'Helemaal niet. Ze is helemaal niet lelijk. Hou je bek dicht of ik sla 'm dicht.'

'Wat krijgen we nou? Lausje gaat vechten. Sjonge-jonge. Je hebt het echt te pakken!'

Tijmen pingelde verder met zijn voetbal.

'Laten we er maar over ophouden. Overtrappen?'

'Oké.'

Het was een regenachtige dag en speelden geen kinderen buiten. Behalve zij met zijn tweeën. Tijmen had eigenlijk niet gewild. Die had liever binnen tv willen kijken of achter de computer.

Maar Laus niet. Hij had al vanaf heel vroeg aan zijn gedicht gewerkt, dus nu wilde hij zoveel mogelijk buiten zijn. Omdat hij Kitty hoopte tegen te komen. Bij haar langsgaan durfde hij even niet. Waarom eigenlijk niet?

'Komt-ie!'

Tijmen schopte de bal naar hem toe.

'Waarom spelen we nou met deze? Waar is die andere?' vroeg Laus. 'Dit ding is halflek.'

'Je hebt gelijk. Zullen we dan maar naar binnen gaan?'

'Nee nee nee, het lukt wel. Komt-ie.'

Op dat moment ging op nummer 10 de voordeur open en kwamen er twee meisjes naar buiten.

Voorop liep Fleur. Laus zag dat ze om zich heen keek en daarbij met haar hoofd bewoog, om haar haren heen en weer te laten wiegen. Achter haar bleef Kitty in de deuropening staan. Ze praatte even met haar grote zus, die ondertussen haar fiets pakte.

'Voetballen we nou of niet?' riep Tijmen. 'Of staan we hier alleen maar voor die stomme meiden?'

Laus antwoordde niet. Tot zijn schrik zag hij dat Fleur op haar fiets stapte en Kitty weer naar binnen ging. Ze sloot de deur achter zich. O nee! Niet doen! Blijf nou buiten!

'Daar komt ze,' siste Tijmen. 'Miss Lepelaarlaan. Wat is het toch een lekker wijf!'

'Hallo Laus,' zong Fleur toen ze langsfietste. 'Alles goed met je? Kom je nog eens langs?'

De jongens staarden haar na. Tot ze om de hoek verdwenen was.

'Ze vindt je leuk,' zei Tijmen. 'Ze is hartstikke verliefd op je. Dat zie je gewoon. Zullen we verdergaan?'

'Laat maar,' zei Laus. 'Ik ga naar binnen. Tv kijken.'

Haye van der Heyden
over verliefdheid

Of verliefdheid een geheim is? Het is het grootste geheim dat ik ken. Of eigenlijk niet ken. Want ik weet het niet.

Valt verliefdheid zo van boven uit de hemel in je hoofd en is daar nou eenmaal niks aan te doen? Of is het gewoon dat de mens zich nou eenmaal voortplant – je weet wel, seks en zo – en dat je daarom verliefd wordt? Of is het misschien omdat je iemand ziet waarvan je denkt: daar kan ik het vast heel lang heel leuk mee hebben en dat je dan jezelf wijsmaakt dat je verliefd bent?

Niemand weet het en waarschijnlijk zal ook nooit iemand het weten. Of zouden ze straks in de opengesneden hersens van iemand kunnen laten zien wat er gebeurt als iemand verliefd wordt?

Ach, kan ons schelen hoe het komt! Het is er. En het kan hartstikke leuk zijn. En hartstikke pijnlijk, maar dat heb je altijd met dingen die hartstikke leuk kunnen zijn. Eén ding is behoorlijk zeker: de wereld draait om mensen die verliefd op elkaar worden. Dat is echt zo.

En zal ik je nog eens wat zeggen? Daarom bestaan ook straks alle problemen met moslims en zo niet meer. Want we worden allemaal verliefd op elkaar en we maken kinderen. Over honderd jaar zijn we allemaal een beetje moslim en een beetje christen en een beetje hindoe en een beetje chinees en een beetje neger en een beetje blanke. En dan houden we vanzelf op met discrimineren.

Dus de conclusie is: lang leve de liefde!

Veel plezier ermee!

Lees ook van Haye van der Heyden

'*Wat doet jouw moeder eigenlijk?*' vraagt Friso.
'*Niks, geloof ik,*' zegt Daniël. '*Ze heeft geen beroep.*'

Opeens vindt Daniël het verdacht. Hij woont alleen met zijn
moeder en zij werkt niet. Waar komt dan hun geld vandaan?
Daniël probeert zijn moeders geheime kistje te kraken.
Hij zoekt verder en ontdekt dat er op haar bankrekening smakken
geld worden gestort. Ze zal toch niet bij de maffia zijn?
Samen met Friso gaat Daniël op geheime missie. Maar zelfs Friso
mag niet weten wat of wie ze nu precies zoeken bij de maffia...

Tom ontmoet in Spanje Twister, een jongen met een groot geheim.
Tom moet beloven aan niemand te vertellen dat hij er is.
Want Twister komt van een andere planeet, zegt hij.
Natuurlijk houdt Tom het geheim, zeker tegenover de
nieuwsgierige Clio met haar ongelooflijk lange haren.
Bij toeval ontdekt Tom dat er iets heel anders aan de hand is.
Twister is een gewone jongen met een groot probleem. Tom wil
hem helpen, maar hoe? Hij mag zijn vriend niet verraden!